Wiem i potrafię

Najlepsze eksperymenty

JOLANTA POL

CENTRUM EDUKACJI DZIECIĘCEJ

Ilustracje – Marta Kurczewska
Redakcja – Agata Mikołajczak-Bąk
Korekta – Anna Belter
Projekt graficzny i realizacja projektu – Michał Pańczak
Projekt okładki – Hanna Polkowska

Materiał pochodzi z książki *Pomysłowy Dobromir uczy… Jak to działa?*

Centrum Edukacji Dziecięcej – znak towarowy
Publicat S.A.
61-003 Poznań, ul. Chlebowa 24
tel. 61 652 92 52, fax 61 652 92 00
e-mail: ced@publicat.pl
www.publicat.pl

Spis treści

Robię salaterkę

CO MUSISZ PRZYGOTOWAĆ

Potrzebujesz: miski, mąki, wody, łyżki, papieru, nożyczek, balonu, który po nadmuchaniu ma okrągły kształt, małego plastikowego talerzyka lub podstawki pod doniczkę, igły, farb i pędzelka.

KROK 1

Połącz w misce mąkę z wodą, tak aby otrzymać płynną masę. W tym celu do wody dosypuj wolno mąkę i mieszaj, aż masa osiągnie właściwą gęstość.

KROK 2

Z papieru wytnij paski. Nadmuchaj balon i zawiąż go, a następnie ułóż na talerzyku lub podstawce pod doniczkę, która będzie stanowiła dno salaterki.

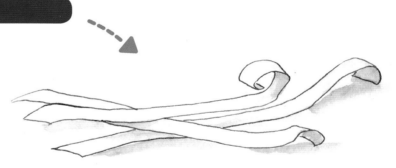

KROK 3

Paski papieru mocz w przygotowanej masie i naklejaj na nadmuchany balon. Rób to od środka balonu ku dołowi.

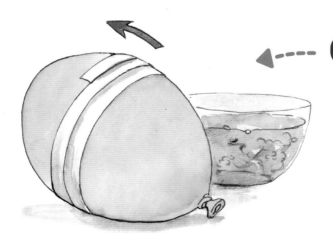

KROK 4

Przyklejając dno salaterki, mocuj paski prostopadle do przyklejonych wcześniej.

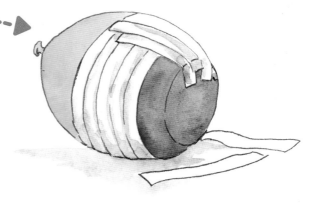

KROK 5

Odstaw salaterkę na kilka godzin. Poczekaj, by wyschła. Potem przekłuj balon i wyjmij go.

KROK 6

Pomaluj naczynie farbami. Gdy całość wyschnie, możesz ją polakierować.

Masa wody z mąką jest klejąca, dlatego najlepiej do jej nakładania użyć pędzelka. Do tej salaterki nie można wlewać wody ani innych płynów.

JAK TO SIĘ DZIEJE?

Papier ma porowatą budowę, czyli przypomina gąbkę. Składa się z tysięcy włókien drewnianych. Masa z mąki łatwo wnika w szczeliny, które znajdują się w papierze. Po wyschnięciu tworzy z nim jednolitą masę. Balon służy jedynie do nadania kształtu tej masie. Do niego masa się nie przyklei, ponieważ jest gładki.

Robię wirującego bączka

CO MUSISZ PRZYGOTOWAĆ

Potrzebujesz: kartonu lub arkuszy kolorowego papieru, cyrkla, nożyczek, ołówka lub patyczka.

KROK 1

Na kartonie lub kolorowym papierze narysuj cyrklem okręgi różnej wielkości.

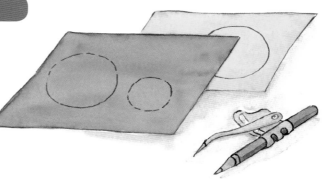

KROK 2

Wytnij narysowane koła.

KROK 3

Jeśli koła są z białego kartonu, pomaluj je. Możesz ozdobić je także dowolnymi wzorami geometrycznymi lub rysunkami. Jeśli wycinałeś koła z kolorowego papieru, dodatkowo udekoruj każde z nich, przyklejając trójkąty z papieru w innym kolorze.

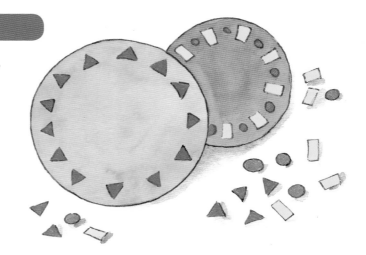

KROK 4

W środku każdego koła zrób otwór. Ponakładaj wszystkie koła na ołówek albo patyczek.

Aby bączek wirował równomiernie, starannie wytnij koła i postaraj się, by dziura była dokładnie w środku.
Jeśli naklejasz jakieś ozdoby, rozłóż je równomiernie po całym kole.

KROK 5

Postaw bączek zaostrzoną końcówką na gładkiej powierzchni (na stole albo podłodze). Chwyć drugi koniec ołówka lub patyczka i szybko zakręć. Bączek zacznie wirować.

JAK TO SIĘ DZIEJE

Bączek w spoczynku przewróciłby się pod wpływem siły przyciągania ziemskiego. Wprowadzony w ruch obrotowy podlega dużej sile odśrodkowej – tym większej, im większa jest masa bączka. Siła odśrodkowa jest większa od siły przyciągania ziemskiego, dlatego bączek nie przewraca się. Bączek przestaje wirować, ponieważ w swoim ruchu obrotowym spotyka się z oporem powietrza. Opór powietrza wyhamowuje jego prędkość.

Tworzę tęczę

CO MUSISZ PRZYGOTOWAĆ

Przygotuj: czarny karton, nożyczki lub nożyk, lampę, lusterko, miskę z wodą, krzesło, arkusz białego papieru.

KROK 1

 W czarnym kartonie wytnij wąski pasek.

KROK 2

Lampkę ustaw na niskim krześle, lusterko wsadź do wody. Arkusz białego papieru umieść pomiędzy krzesłem a miską, tak jak pokazano na rysunku.

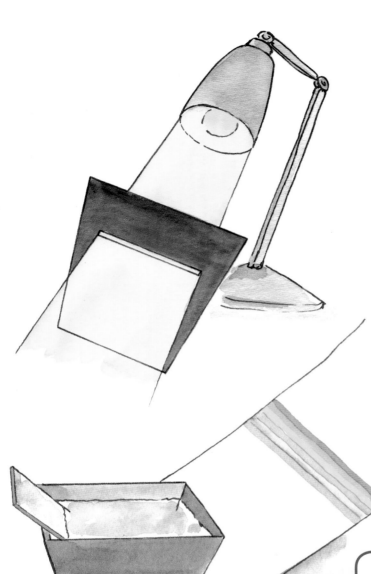

KROK 3

Czarny papier trzymaj przy lampie, tak aby światło lampy przechodziło przez szczelinę i padało na lusterko.

KROK 4

Obserwuj biały karton. Jeżeli nic na nim nie widzisz, to tak przesuwaj czarny karton, aż pojawi się na nim tęcza. Powinieneś zobaczyć siedem kolorów.

Aby eksperyment się udał, szczelina w czarnym kartonie musi być bardzo wąska. Trudno ją zrobić nożyczkami, dlatego poproś kogoś dorosłego, aby wyciął ją ostrym narzędziem.

JAK TO SIĘ DZIEJE?

Światło, które widzimy, ma kolor biały. W rzeczywistości jest ono jednak mieszaniną różnych barw. Te barwy są takie jak w tęczy. Światło w naszym eksperymencie przechodzi przez wodę, która jest gęstsza od powietrza. W wodzie światło ulegnie załamaniu, czyli zmieni swój kąt padania. Każdy kolor załamuje się pod innym kątem. Dlatego po odbiciu od lustra światło przestanie być białe, a ty na białym kartonie zobaczysz tęczę.

Buduję kompas

CO MUSISZ PRZYGOTOWAĆ

Potrzebne będą: kawałek stalowego drutu lub gwóźdź (może być też duża igła, szpilka i nitka), magnes, korek, mały plaster, mała miska z wodą.

KROK 1

Gwóźdź lub drut musi być namagnesowany. W tym celu przesuń kilkanaście razy gwoździem po magnesie. Pocieraj zawsze w tym samym kierunku. W ten sposób powstanie igła magnetyczna.

KROK 2

Na środku korka przyklej plastrem wykonaną przez ciebie igłę magnetyczną.

KROK 3

Do miseczki nalej wodę.
Na wodzie połóż korek.

KROK 4

Usuń wszystkie metalowe przedmioty znajdujące się w pobliżu twojego kompasu. Igła magnetyczna jednym końcem wskaże północ, drugim – południe. Aby określić, który koniec twojej igły magnetycznej wskazuje północ, musisz skorzystać z obserwacji. Wiesz, gdzie znajduje się słońce w południe. Kierunek przeciwny to północ.

KROK 5

Możesz zbudować jeszcze inny prosty kompas. Potrzebujesz do tego namagnesowaną igłę krawiecką i kawałek nitki. Igłę powieś na nitce. Zwróć uwagę, aby nitkę przewiązać dokładnie pośrodku. Igła ustawi się w kierunku północ-południe.

Przy wyznaczaniu kierunków północ-południe pamiętaj, że magnesy wychylają się w kierunku dużych metalowych przedmiotów znajdujących się w pobliżu. W pokoju może być to na przykład kaloryfer. Jeżeli chcesz, żeby twój kompas wskazywał dokładnie kierunek północ--południe, musisz oddalić się od dużych metalowych przedmiotów.

JAK TO SIĘ DZIEJE?

Z pewnością bawiłeś się kiedyś magnesami i wiesz, że magnesy przyciągają się albo odpychają. Nasz mały magnes – igła w kompasie – ustawia się w kierunku północ-południe. Dzieje się tak, dlatego że jest przyciągany albo odpychany przez inny olbrzymi magnes. Tym magnesem jest kula ziemska. Bieguny tego magnesu pokrywają się z biegunami geograficznymi północnym i południowym.

Robię bańki mydlane

CO MUSISZ PRZYGOTOWAĆ

Do zrobienia baniek potrzebne będą: woda, płyn do mycia naczyń i gliceryna (lub mydło i cukier), szklane naczynie, łyżka, łyżeczka, słomka, nożyczki. Do wykonania dużych baniek: miska i gruba nitka.

KROK 1

Przygotuj płyn do robienia baniek. Oto kilka przepisów. Wypróbuj je i oceń, który najbardziej ci odpowiada.

- Do 1 litra wody dodaj 2 lub 3 łyżki płynu do mycia naczyń i 1 łyżeczkę gliceryny.
- Zrób mieszaninę składającą się z 6 części wody, 2 części płynu do mycia naczyń oraz 1 części gliceryny.
- 45 gramów cukru i 1,5 grama mydła toaletowego dobrze rozpuść w 100 gramach wody.

KROK 2

Dokładnie wymieszj składniki.
Gotowy płyn odstaw najlepiej
na kilka godzin.

KROK 3

Poproś kogoś dorosłego, by naciął
jeden koniec słomki do napojów.
Nacięcia rozchyl i zanurz
w przygotowanym płynie, następnie
wyjmij słomkę i powoli dmuchaj
w jej suchy koniec.

WARIANT

Jeżeli chcesz zrobić bardzo duże bańki, przelej
płyn do miski. Zamiast słomki użyj ramki
do baniek. Możesz ją skonstruować z dwóch
zgiętych słomek, przez środek których została
przeciągnięta gruba nitka (końce nitek
trzeba mocno ze sobą związać).
Słomki powinny utworzyć
prostokąt bądź kwadrat. Ramkę
zanurz w płynie. Powstanie
na niej mydlana tafla. Dmuchaj
w nią delikatnie albo wystaw
na działanie wiatru.

JAK TO SIĘ DZIEJE

Na powierzchni wody znajduje się cienka błona, która powstaje w wyniku
przyciągania się cząsteczek wody. Siła tworząca tę błonę jest na tyle duża,
że uniemożliwia jej rozciąganie. Dlatego z samej wody nie uda się zrobić bańki.
Dodanie mydła powoduje zmniejszenie działania tej siły i błonę można
rozciągnąć. Jeśli ciepłym powietrzem ze swoich płuc nadmuchamy błonę,
z wody i mydła powstanie bańka, która uniesie się w powietrzu.

Wytwarzam prąd z cytryny

CO MUSISZ PRZYGOTOWAĆ

Potrzebne będą: cytryna i dwa
druciki z różnych metali,
na przykład miedziany i stalowy.

KROK 1

Cytrynę ściśnij albo kilka razy
poturlaj po stole, aby stała się
bardziej soczysta. Uważaj jednak,
żeby nie uszkodzić skórki!

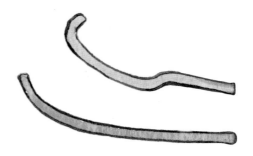

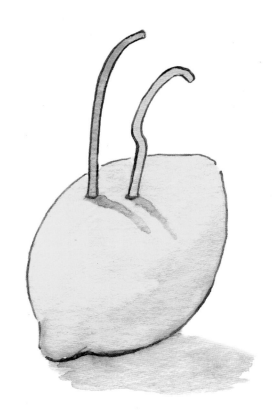

KROK 2

Wbij druciki w cytynę, tak jak pokazano na rysunku. Końce drucików powinny być blisko siebie, ale nie mogą się stykać.

KROK 3

Dotknij przewody językiem. Poczujesz lekkie drżenie i smak metalu. Świadczy to o przepływie słabego prądu przez cytrynę.

> Druty mają ostre końce, dlatego dotykaj ich ostrożnie, żeby się nie poranić. Możesz też zawinąć końcówki tych przewodów, żeby uniknąć skaleczenia.

JAK TO SIĘ DZIEJE

W soku zawartym w cytrynie, jak w każdym roztworze, występują ładunki ujemne i dodatnie. Jeżeli w owoc wbijemy dwa druty z różnych metali, mających różne przewodzenie elektryczne, to jeden z nich będzie przyciągał ładunki elektryczne ujemne, a drugi – dodatnie. Jeśli zamkniemy obwód, czyli do drucików przytkniemy przewodnik (w tym przypadku język), nastąpi przepływ ładunków ujemnych w kierunku ładunków dodatnich. W czasie tego przepływu poczujemy lekkie drżenie i posmak metalu. Prąd jest na tyle słaby, że nie wyrządzi nam krzywdy. Zjawisko przepływu prądu wykorzystano w produkcji baterii.

Urządzam wyścig szpulek

CO MUSISZ PRZYGOTOWAĆ

Do wykonania jednej szpulki będziesz potrzebować: tekturki, nożyczek, kleju, szpulki po nitce, małej świeczki (najlepiej do podgrzewaczy lub kawałka zwykłej świecy), dwóch zapałek lub małych patyczków, gumki recepturki, drucianego haczyka lub szydełka.

KROK 1

Z grubej tekturki wytnij dwa koła o średnicy 4 centymetrów. W środku każdego zrób dziurkę.

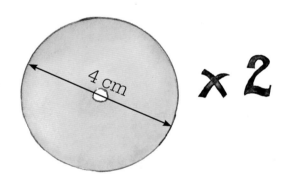

KROK 2

Jedno koło przyklej mocnym klejem do szpulki.

KROK 3

Ze świeczki do podgrzewacza usuń knot. Zrób to delikatnie, aby nie pokruszyć świecy.

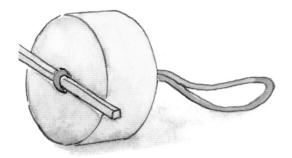

KROK 4

Przez otwór po knocie przewlecz gumkę recepturkę. Zabezpiecz jej koniec zapałką, jak pokazano na rysunku.

KROK 5

Drugi koniec gumki przełóż przez szpulkę z przyklejoną tekturką oraz przez dziurkę w drugim tekturowym kole. Możesz posłużyć się haczykiem zrobionym z drutu bądź szydełkiem. Po przewleczeniu zabezpiecz koniec gumki drugą zapałką.

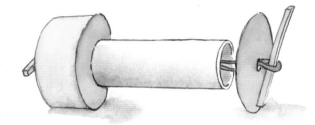

KROK 6

Drugie tekturowe koło także przyklej do szpulki.

KROK 7

Zapałki powinny być tak włożone, aby ich końcówki wystawały nieco poza obwód kół. Jedną zapałkę chwyć w jedną rękę i trzymaj nieruchomo. Drugą zapałkę obracaj kilkanaście razy w jednym kierunku. Gumka znajdująca się w środku szpulki powinna się mocno skręcić.

KROK 8

Połóż swój szpulkowy pojazd na równej, gładkiej powierzchni. Puść zapałki i obserwuj, jak szybko się porusza.

JAK TO SIĘ DZIEJE

Mocno skręcona gumka zacznie się rozkręcać, gdy puścimy zapałki. Wprowadzi ona zapałki w ruch obrotowy. Wystające poza obwód koła zapałki w czasie wirowania natrafiają na powierzchnię, na której leży koło. Nie mogąc się dalej obracać, swoją energię przekażą na obrócenie szpulki. Szpulka będzie się przemieszczać do momentu, gdy gumka się rozprostuje.

Wywołuję eksplozję wulkanu

CO MUSISZ PRZYGOTOWAĆ

Do wykonania eksperymentu będziesz potrzebować: buteleczki, na przykład po syropie, czerwonego wina, korka, igły albo gwóździa, plasteliny, kamyków, dużego słoja, kostki cukru, wody.

KROK 1

Buteleczkę napełnij winem i zamknij ją korkiem. Za pomocą igły albo gwoździa zrób w korku mały otwór.

KROK 2

Butelkę oklej plasteliną. Uformuj ją tak, aby przypominała stożek wulkanu. Możesz przykleić do niej kamyki. Uważaj, aby nie zakleić otworu w korku. Buteleczkę umieść na dnie większego przezroczystego naczynia, na przykład słoika.

Otwór w korku zakryj szczelnie kostką cukru.

KROK 4

Do słoika nalej tyle wody, by zakryła buteleczkę. Najlepiej, jeśli lustro wody będzie znajdowało się kilka centymetrów nad korkiem.

KROK 5

Po kilku minutach zobaczysz, jak z wulkanu wydobywa się czerwona lawa.

Jeśli chcesz wykonać ten eksperyment, pamiętaj, że potrzebne ci będzie wino. Musisz uzyskać zgodę opiekuna na jego użycie. Wino możesz zastąpić innym kolorowym płynem, którego ciężar jest mniejszy od wody. Jeśli użyjesz jodyny, twój wulkan wybuchnie na żółto.

JAK TO SIĘ DZIEJE

Pod wpływem wody kostka cukru się roztopi. Przez otwór w buteleczce do jej wnętrza zacznie się nalewać woda. Woda jest cieczą cięższą od wina znajdującego się w butelce, dlatego zacznie ona wypychać wino, które będzie gwałtownie wypływało przez otwór w butelce. Mała powierzchnia kontaktu tych cieczy w butelce uniemożliwi ich mieszanie.

Sprawiam, że kieliszki tańczą

CO MUSISZ PRZYGOTOWAĆ

Potrzebujesz: dwóch kieliszów o cienkich nóżkach i gładkiej, pozbawionej ozdób powierzchni oraz kawałka stalowego drutu.

KROK 1

Do kieliszków nalej wody, ale nie więcej niż do 1/4 ich wysokości.

KROK 2

Zamocz palec w wodzie i delikatnie pocieraj brzeg jednego z kieliszków (poruszaj palcem zawsze w tym samym kierunku). Gdy wyda dźwięk, zrób to samo z drugim kieliszkiem. Dolewaj lub odlewaj z niego po trochu wody, aż będzie brzmiał tak samo jak pierwszy.

KROK 3

Stalowy drut zwiń w kształt litery S. Połóż go na jednym z kieliszków. Drugi pocieraj palcem tak, jak poprzednio. Gdy pierwszy kieliszek wyda dźwięk, drugi będzie drgał. Zatem jeden gra, a drugi tańczy!

JAK TO SIĘ DZIEJE

Palec wywołuje drgania szkła, które są przenoszone na powietrze otaczające kieliszek i przedostają się do naszych uszu jako dźwięk. Jeśli pierwszy kieliszek wyda dźwięk, to drut umieszczony na drugim kieliszku będzie drgał. Dzieje się tak, dlatego że drut odbiera przenoszone przez powietrze drgania z pierwszego kieliszka. Poruszający się drut pobudza do ruchu drugi kieliszek.

Robię rybę z supernapędem

CO MUSISZ PRZYGOTOWAĆ

Przyszykuj: kartonik, ołówek, nożyczki, olejek do opalania (lub inny olej).

KROK 1

Na kartoniku narysuj kształt ryby. Wytnij go, nacinając od ogona do środka cienki kanalik zakończony kółeczkiem, jak pokazano na rysunku.

KROK 2

Ostrożnie, aby nie wywołać fal wody, połóż rybę na wodzie.

KROK 3

Do wyciętego w rybie kółeczka wlej kropelkę olejku. Ryba wykona
gwałtowny ruch i przesunie się do przodu.

Jeśli puszczasz ryby w stawie lub jeziorze, rób to tylko tam, gdzie woda
jest płytka i spokojna. Musi towarzyszyć ci ktoś dorosły.
Eksperyment możesz wykonać także w domu, wkładając ryby
do wypełnionej wodą wanny.

JAK TO SIĘ DZIEJE

Gdy olej zetknie się z wodą, rozprzestrzenia się na jej powierzchni. Kropelka
oleju, którą wlałeś w otwór w rybim brzuchu, może się rozprzestrzenić jedynie
wycięciem prowadzącym do ogona. Olej wypycha z kanalika wodę, wprawiając
rybę w ruch.

Produkuję kryształy

CO MUSISZ PRZYGOTOWAĆ

Potrzebne będą: szklanka, woda, łyżeczka, sól, słoik, kartonik, igła, kawałek nici.

KROK 1

Do 1/3 szklanki wody wsyp 3 łyżeczki soli i dobrze wymieszaj. Sól rozpuści się, choć jej odrobina pozostanie na dnie.

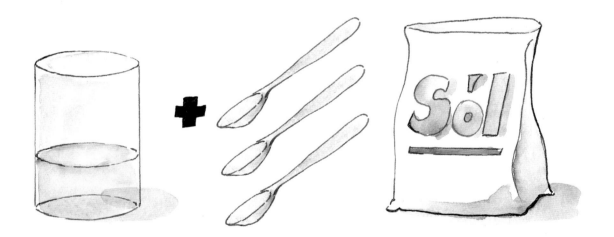

KROK 2

Odstaw roztwór na noc, by nie poruszyć osadu z dna, rano będzie przezroczysty, ale na dnie pozostanie osad – to substancje dodawane do soli, które mają utrzymywać ją w stanie sypkim. Ostrożnie przelej roztwór do słoika.

Na środku kartonika zrób igłą dziurkę, a następnie przykryj nim słoik. Przez otwór przewlecz nitkę, tak aby dotykała ona słoika. Kartonik ochroni roztwór przed zakurzeniem, a jednocześnie umożliwi powolne parowanie wody.

KROK 4

Po pewnym czasie na dnie słoika, na ściankach oraz nitce powinny pojawić się i powoli „rosnąć" kryształy. Kryształy na nitce i na dnie będą przezroczyste, a na ściankach mogą przypominać szron.

KROK 5

Gdy uznasz, że kryształ jest już odpowiedniej wielkości, wyjmij go ze słoika i przechowuj w suchym miejscu, ponieważ wilgoć łatwo go zniszczy.

JAK TO SIĘ DZIEJE

Część substancji występuje w naturze w formie kryształów. Należy do nich sól kamienna (ta, którą kupujemy w sklepie, ma formę proszku, aby wygodniej się z niej korzystało). Sól bardzo dobrze rozpuszcza się w wodzie, jednak w danej ilości wody możemy rozpuścić tylko jej określoną ilość – w ten sposób powstaje roztwór nasycony (kolejna porcja soli już się nie rozpuści). W naszym słoiku z roztworu nasyconego powoli wyparowuje woda, mamy więc nadmiar soli, która osadza się na dnie, ściankach i nitce w formie kryształów. Im wolniej paruje woda, tym bardziej regularny i przezroczysty będzie kryształ.

Konstruuję zegar słoneczny

CO MUSISZ PRZYGOTOWAĆ

Uszykuj: szeroką płytę ze sklejki, wiertarkę, drewnianą listewkę lub stalowy pręt, klej do drewna, rękawiczki, fartuch, wodoodporne farby, linijkę.

KROK 1

Na brzegu płyty należy wywiercić otwór. Najlepiej poproś o pomoc kogoś dorosłego. W otwór włóż listewkę i przyklej ją klejem do drewna (zamiast listewki możesz użyć stalowego pręta).

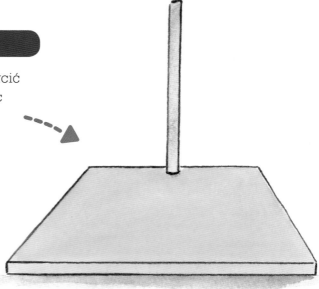

KROK 2

Pomaluj płytę z obu stron farbami wodoodpornymi. Z wierzchu możesz ozdobić ją wzorem. Pokryj farbą także listewkę.

> Malując farbami wodoodpornymi, załóż rękawiczki i fartuch. Farby te trudno się zmywa i długo schną.

Rano, w słoneczny dzień,
o pełnej godzinie, wystaw swój
zegar na zewnątrz. Ciemną
farbą zaznacz linię, jaką rzuca
cień listewki. Nad kreską
zapisz godzinę.

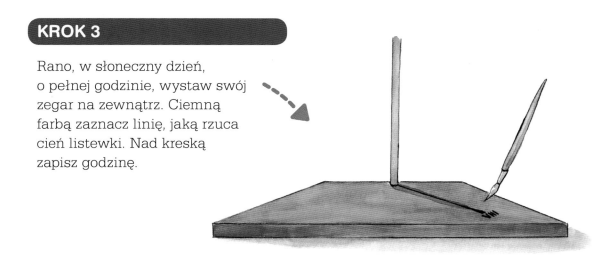

Powtarzaj tę czynność co godzinę. W kolejne słoneczne dni będziesz już mógł
korzystać ze swojego zegara. Padający cień wskaże godzinę.

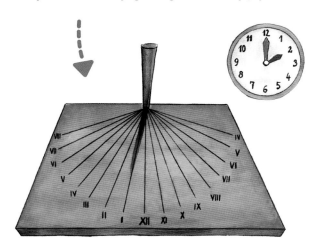

Miejsce, w którym jest
ustawiony zegar, musi być
nasłonecznione przez cały
dzień. Brzegi płyty można
obłożyć kamykami, aby wiatr
jej nie przesunął. Można też
umieścić zegar w płytkim
zagłębieniu w ziemi.

JAK TO SIĘ DZIEJE

W zegarze słonecznym wykorzystano zjawisko rzucania cienia przez
oświetloną listwę. Słońce w ciągu dnia wykonuje pozorną wędrówkę po niebie.
Wstaje na wschodzie, potem podnosi się do góry i wędruje w kierunku
południowym. Po osiągnięciu szczytu, co następuje o godzinie 12, zaczyna się
obniżać i przemieszcza się w kierunku zachodnim. W trakcie tej wędrówki
zmienia się kierunek cienia, jaki rzuca listewka.

Tworzę film animowany

CO MUSISZ PRZYGOTOWAĆ

Uszykuj: kilkanaście kartek papieru tej samej wielkości, kredki lub farby i zszywacz biurowy.

KROK 1

Na wszystkich kartkach namaluj chłopca kopiącego piłkę w kierunku bramki. Zrób to jednak tak, aby na każdym rysunku piłka była coraz dalej od nogi i coraz bliżej bramki. Na ostatnim rysunku piłka powinna trafić do bramki.

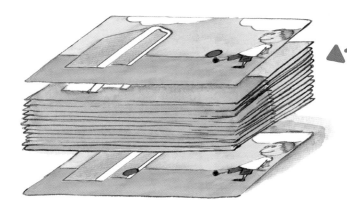

KROK 2

Ułóż kartki jedna na drugiej. Rozpocznij od tej, gdzie piłka znajduje się przy nodze chłopca. Na końcu będzie kartka, na której piłka wpada do bramki.

KROK 3

W lewym dolnym rogu zepnij zszywaczem wszystkie kartki, tak aby powstała książeczka.

KROK 4

Trzymaj książeczkę za lewy dolny narożnik i szybko ją kartkuj. Zobaczysz, jak piłka się porusza i wpada do bramki.

Aby film się udał, rysunki muszą być identyczne (najlepiej je przekalkuj). Jedynie piłka na każdym z nich jest w nieco innym miejscu.

JAK TO SIĘ DZIEJE

Na swoich rysunkach namalowałeś kolejne fazy ruchu piłki. Kartkując szybko książeczkę, każdy z nich oglądasz tylko przez ułamek sekundy. Rysunki nakładają się na siebie i widzisz je jako jeden obraz. To, czym one się różnią (położenie piłki), wywołuje wrażenie ruchu. W doświadczeniu tym wykorzystana jest pewna cecha ludzkiego widzenia – bezwładność wzroku. Bezwładność wzroku jest to różnica czasowa pomiędzy wzrokowym postrzeganiem a powstaniem obrazu w mózgu.

Robię stetoskop

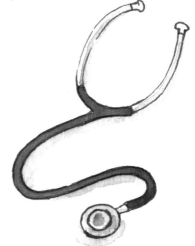

CO MUSISZ PRZYGOTOWAĆ

Potrzebne będą: arkusz sztywnego papieru, taśma klejąca, cyrkiel, ołówek, karton, nożyczki.

KROK 1

Prostokątną kartkę sztywnego papieru zwiń w tubę i sklej taśmą klejącą.

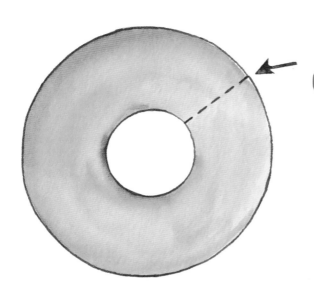

KROK 2

Przy pomocy cyrkla narysuj na kartonie dwa koła. W każdym z nich wytnij otwór o takiej średnicy, jak otwór tuby.

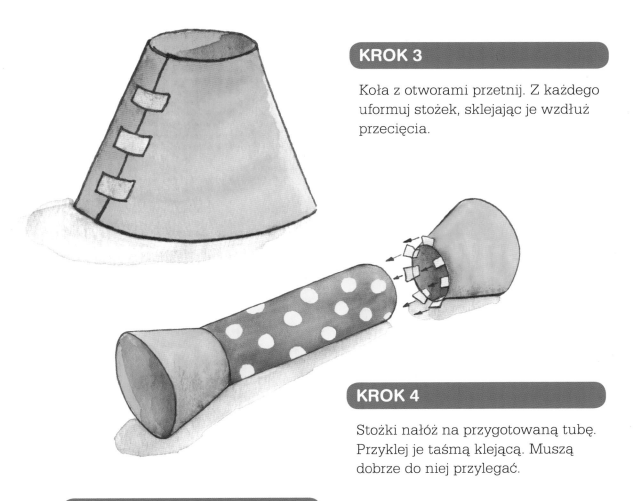

Koła z otworami przetnij. Z każdego uformuj stożek, sklejając je wzdłuż przecięcia.

KROK 4

Stożki nałóż na przygotowaną tubę. Przyklej je taśmą klejącą. Muszą dobrze do niej przylegać.

KROK 5

Przyłóż jeden stożek do swojego ucha, a drugi do klatki piersiowej kolegi. Usłyszysz, jak bije jego serce.

Dokładnie wytnij wszystkie elementy i bardzo starannie je sklej, aby stetoskop działał prawidłowo. Szczeliny spowodują, że stetoskop nie będzie tak dobrze wzmacniał dźwięku.

JAK TO SIĘ DZIEJE

Fale dźwiękowe rozchodzą się równomiernie wokół źródła dźwięku. Natężenie dźwięku, czyli głośność, słabnie wraz z odległością od jego źródła. W stożku przyłożonym do ciała dźwięk skupia się, a nie rozchodzi naokoło. Dzięki temu jest wzmacniany i trafia do drugiego stożka, a za jego pośrednictwem – do ucha.

Tworzę dziwny spadochron

CO MUSISZ PRZYGOTOWAĆ

Potrzebne będą: papier, linijka lub centymetr krawiecki, nożyczki, igła, cienka nitka, korek od butelki.

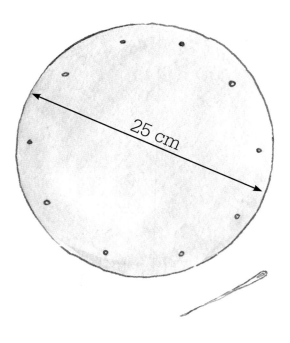

25 cm

KROK 1

Z cienkiego, ale mocnego papieru, wytnij koło o średnicy 25 centymetrów. Na jego obwodzie zrób igłą 10 małych otworów.

KROK 2

Przez otworki za pomocą igły przeciągnij 10 cienkich nitek o długości około 30 centymetrów. Każdą nitkę zabezpiecz supełkiem, aby nie przeszła przez papier.

KROK 3

Pozostałe końce nitek zwiąż w jeden supełek. Przywiąż do niego mały, lekki korek.

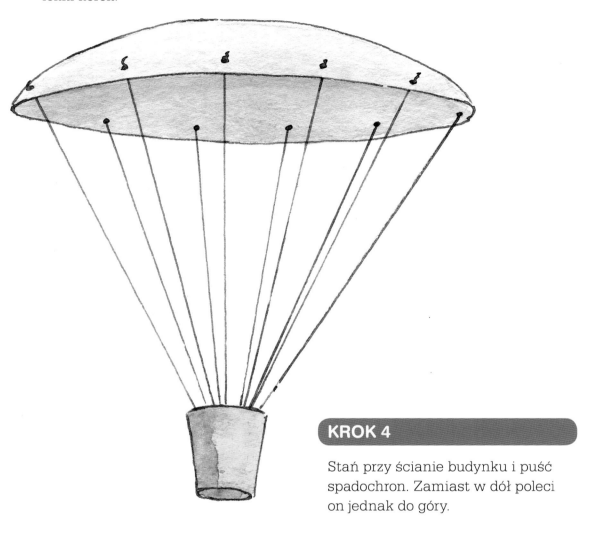

KROK 4

Stań przy ścianie budynku i puść spadochron. Zamiast w dół poleci on jednak do góry.

JAK TO SIĘ DZIEJE

Powietrze w pobliżu ściany domu intensywnie się nagrzewa, w związku z tym unosi się do góry. Nasz spadochron jest bardzo lekki, a ruch powietrza silniejszy od przyciągania Ziemi, dzięki temu spadochron wznosi się do góry. Dodatkowo jego unoszeniu sprzyja budowa spadochronu, który podwiewany od dołu zachowuje się jak żagiel.

Prawdziwy spadochron mocno obciążony ciągnie ku ziemi większa siła, a opór powietrza tylko opóźnia jego spadanie.

Konstruuję telefon

CO MUSISZ PRZYGOTOWAĆ

Uszykuj: dwie puszki po konserwach, otwieracz do konserw, dwa kawałki papieru pergaminowego, sznurek (lub gumkę recepturkę), igłę, kilka metrów grubej nitki, dwie zapałki.

KROK 1

Poproś kogoś dorosłego, by za pomocą otwieracza do konserw usunął z obydwu puszek dna i wieczka. Na otwory po denkach nałóż papier pergaminowy i przymocuj go sznurkiem (lub gumką recepturką), jak pokazano na obrazku.

KROK 2

Na środku pergaminu zrób igłą dziurkę i przeciągnij przez nią grubą, mocną nitkę. Jej koniec zwiąż w duży supeł lub zabezpiecz go, przywiązując od środka puszki kawałek zapałki. Nić może mieć długość do 100 metrów.

KROK 3

Do drugiego końca nitki w podobny sposób przywiąż drugą puszkę.

KROK 4

Gdy nić zostanie naciągnięta, można zacząć rozmowę. Jeden rozmówca mówi do puszki, czyli używa jej jak mikrofonu, a drugi traktuje swoją puszkę jak słuchawkę. Im bardziej nitka jest naciągnięta, tym lepiej przekazuje głos. Nie można jednak ciągnąć zbyt mocno, by nie zniszczyć pergaminu.

Poproś osobę dorosłą o wycięcie dna w puszkach. Potrzeba do tego odpowiednich narzędzi. Należy także zabezpieczyć krawędź puszek, by nie skaleczyć się podczas zabawy.

JAK TO SIĘ DZIEJE

Głos powstaje w wyniku drgań strun głosowych. Drgające struny wywołują drgania znajdującego się w ustach powietrza, które z kolei przenosi drgania na pergamin naciągnięty na puszce. Dzięki naprężonej nitce drgania jednego pergaminu przenoszone są na pergamin na drugiej puszce. Drugi pergamin porusza powietrze znajdujące się w drugiej puszce, a ono wprawia w dragania błonę bębenkową w naszym uchu, co odbieramy jako głos.

Buduję poduszkowiec

CO MUSISZ PRZYGOTOWAĆ

Uszykuj: pustą plastikową butelkę, która ma korek w postaci grzybka podnoszonego do góry, nożyk, centymetr krawiecki, pisak, karton, nożyczki, klej, balonik.

KROK 1

Poproś osobę dorosłą, by odcięła górną część butelki. Ważne, aby zrobić to równo, dlatego najpierw narysuj na butelce linię, przykładając do niej centymetr krawiecki. Tnij wzdłuż linii.

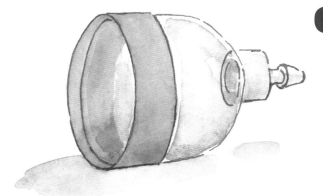

KROK 2

Jeśli nie uda się idealnie równo obciąć butelki, wytnij z kartonu pasek i przyklej go dookoła odciętej krawędzi, tak aby wystawał nieco poza butelkę.

KROK 3

Nadmuchaj balon i ostrożnie nałóż go na nakrętkę butelki. Nakrętka musi być w pozycji zamkniętej, czyli do dołu. W ten sposób powietrze nie ucieknie z balonu.

KROK 4

Delikatnie podnieś nakrętkę, tak aby nie ściągnąć balonika. Zobaczysz, jak twój poduszkowiec się unosi.

> Górną część butelki powinien obcinać ktoś dorosły.

JAK TO SIĘ DZIEJE

Powietrze z balonika ucieka przez otwartą nakrętkę do dołu. To powoduje powstanie nadciśnienia powietrza w butelce. Nadciśnienie unosi butelkę. Twój poduszkowiec znajdzie się w kilka sekund nad ziemią. Zjawisko to nazywamy poduszką powietrzną.

Konstruuję samolot

CO MUSISZ PRZYGOTOWAĆ

Potrzebujesz: kartonu, ołówka, kalki technicznej, kleju i nożyczek.

KROK 2

Rozpocznij od złożenia na pół kwadratu znajdującego się w górnej części konstrukcji.

KROK 1

Z kartonu wytnij formę, jaką pokazano na ilustracji. Możesz skopiować rysunek, korzystając z ołówka i kalki technicznej. Kiedy skleisz pierwszy model i sprawdzisz, jak lata, przeprowadź eksperymenty z konstrukcją samolotu, na przykład zmieniając kształt skrzydeł.

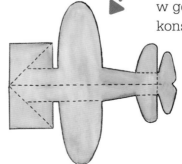

KROK 3

Potem złóż cały samolot na pół, wzdłuż osi pionowej zaznaczonej linią przerywaną.

KROK 4

Teraz wykonaj dziób samolotu, zgodnie z rysunkiem.

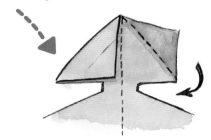

KROK 5

Przygotuj ogon samolotu, jak pokazano na rysunku.

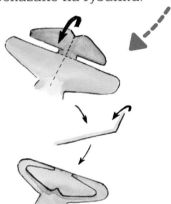

KROK 6

Ponownie złóż samolot wzdłuż osi pionowej.

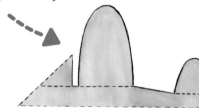

KROK 7

Odegnij skrzydła, dziób oraz stateczniki poziome.

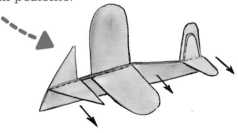

KROK 8

Posmaruj klejem miejsca powstałe po zagięciach w środku samolotu i sklej je.

JAK TO SIĘ DZIEJE

Samolot wykonany z papieru jest lekki. Wyrzucony w powietrze nie spadnie od razu na ziemię, ponieważ duża powierzchnia skrzydeł i stateczników napotyka na opór powietrza. Nazywamy to siłą nośną.
Obserwując lot swojego samolotu, zauważysz, jak ześlizguje się on po kolejnych warstwach powietrza. Gdy zacznie tracić prędkość wynikającą z wyrzutu, wyląduje na ziemi.

Barwię kwiaty

CO MUSISZ PRZYGOTOWAĆ

Przygotuj: kilka naczyń, np. butelki, słoiki, wodę, barwniki, kwiaty (np. lilie, goździki, margerytki, róże), nożyczki.

KROK 1

Do kilku naczyń nalej wodę i do każdej dodaj inny barwnik (może to być barwnik spożywczy, atrament, tusz).

KROK 2

Kwiaty, które chcesz zabarwić,
powinny mieć płatki w jasnym
kolorze. Ich łodygi przytnij
na ukos.

KROK 3

Kwiaty wstaw do słoików na kilka godzin, najlepiej na noc. Zmienią one barwę.
Przyjmą kolor wody, w której były zanurzone.

JAK TO SIĘ DZIEJE

Wodę potrzebną do życia rośliny czerpią korzeniami z podłoża. W łodydze
znajduje się tkanka, która transportuje ją w górę – do liści i kwiatów. Jeśli
wlejemy do naczynia barwnik, to dotrze on wraz z wodą do wszystkich
części rośliny. Najmocniej zabarwi jasne płatki kwiatów.

Piszę niewidzialnym atramentem

CO MUSISZ PRZYGOTOWAĆ

Potrzebujesz: mleka (najlepiej tłustego) lub soku z cytryny, papieru (nie może być zbyt cienki ani zbyt gruby), piórka lub patyczka do pisania (ewentualnie cienkiego pędzelka), blachy do pieczenia lub żelazka.

KROK 1

Przygotuj niewidzialny atrament – może to być sok z cytryny albo mleko lub mieszanka soku z mlekiem pół na pół. Do pisania użyj patyczka, piórka albo pędzelka. Napisz wiadomość. Początkowo litery będą błyszczeć w świetle. Jednak szybko wyschną i napis stanie się niewidoczny.

KROK 2

Żeby odczytać niewidoczny napis, należy włożyć kartkę na chwilę do nagrzanego piekarnika. Po wyjęciu zobaczysz tekst. Kartkę można też przeprasować gorącym żelazkiem. Trzeba jednak podłożyć pod papier jakiś materiał i prasować bardzo ostrożnie.

Poproś osobę dorosłą o włożenie papieru do gorącego piekarnika albo przeprasowanie go żelazkiem!

JAK TO SIĘ DZIEJE

Pod wpływem wysokiej temperatury w soku cytryny lub mleku zachodzą zmiany chemiczne. Papier w tych miejscach zabarwia się na brunatno.

Robię kalejdoskop

CO MUSISZ PRZYGOTOWAĆ

Potrzebne będą: trzy jednakowe prostokątne lusterka, tektura, dobry klej, którym można przytwierdzić lusterka do tektury, nożyczki, biały karton i taśma klejąca. Przygotuj także małe, kolorowe elementy – skrawki kolorowego papieru o różnych kształtach, farby, kredki, koraliki, kawałki kandyzowanych owoców.

KROK 1

Każde z lusterek naklej na tekturę, lustrzaną stroną do góry. Wytnij lusterka, zostawiając na tekturkach po centymetrowym marginesie na każdym prawym, dłuższym boku.

x3

KROK 2

Marginesy na tekturkach zagnij. Sklej tekturki, tak aby lusterka po złożeniu dokładnie do siebie przylegały. Lusterka będą nachylone względem siebie pod kątem 60 stopni.

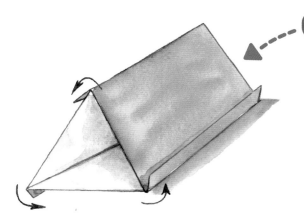

KROK 3

Z białego kartonu wytnij dwa trójkąty o takich wymiarach, by zakryły pozostawione otwory. Jeden z trójkątów przyklej taśmą klejącą – powstanie pudełko otwarte z jednej strony. Możesz też wyciąć z kartonu trójkąty z zakładkami, które przykleisz klejem do ścianek kalejdoskopu.

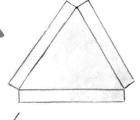

KROK 4

Wrzuć do pudełka przygotowane wcześniej kolorowe drobiazgi. Nie może ich być zbyt wiele, powinny tylko zakrywać dno.

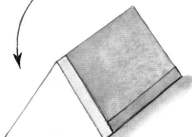

KROK 5

W drugim trójkącie wytnij pośrodku małą dziurkę. Przyklej trójkąt do kalejdoskopu, zamykając go.

KROK 6

Ścianki zabawki możesz ozdobić kolorowym papierem, pomalować farbami lub kredkami. Trójkąty pozostaw białe.

KROK 7

Kalejdoskop skieruj w stronę światła. Spójrz w otwór do wnętrza. Potrząśnij kalejdoskopem i obserwuj zmieniające się wzory.

> Dokładnie sklej wszystkie ścianki kalejdoskopu, tak aby nie powstały szpary między lusterkami.

JAK TO SIĘ DZIEJE

Dzięki światłu wpadającemu przez biały karton do wnętrza kalejdoskopu powstaje wiele lustrzanych odbić kolorowych elementów. Układ kolorowych elementów razem z odbiciami tworzy skomplikowany wzór. Wystarczy tylko drobna zmiana spowodowana poruszeniem kalejdoskopu, by można było oglądać inny ciekawy wzór.

Konstruuję latawiec

CO MUSISZ PRZYGOTOWAĆ

Przygotuj: arkusz papieru, listewki, klej, kolorowy papier, grubą nić i szpulkę ze sznurkiem.

KROK 1

Z arkusza papieru wytnij czworokąt.

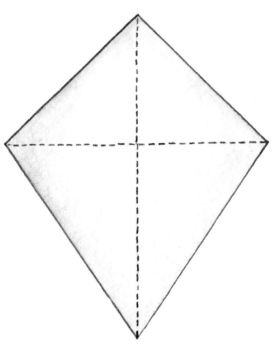

KROK 2

Wzdłuż przekątnych czworokąta naklej dwie cienkie drewniane listewki, które usztywnią konstrukcję latawca.

46

KROK 3

Z kolorowego papieru wytnij cienkie paseczki, z których powstanie ogon latawca. Paseczki sklejaj, jak łańcuch choinkowy.

KROK 4

Łańcuch przyklej do jednego z wierzchołków latawca – na dłuższej przekątnej. Po przeciwnej stronie przymocuj nić o długości około 20 centymetrów i przywiąż do niej sznurek.

KROK 5

Kiedy biegniesz, ciągnąc latawiec na napiętym sznurku, wznosi się on coraz wyżej. Gdy znajdzie się wśród prądów powietrza, powoli odwijaj szpulkę, a latawiec będzie szybował wyżej. Szpulkę ze sznurkiem trzymaj mocno, aby nie stracić kontroli nad latawcem.

> Nie wolno puszczać latawców w pobliżu lotnisk, linii wysokiego napięcia i w czasie burzy.
> Puszczając latawiec, załóż rękawiczki, które ochronią dłonie przed poparzeniem lub przecięciem skóry przez mocno napiętą linkę.

JAK TO SIĘ DZIEJE

Latawiec ma dużą powierzchnię i małą wagę. Jeżeli pociągniemy go do przodu, to duża powierzchnia latawca napotka na spory opór powietrza. Gdy siła oporu powietrza będzie większa niż ciężar latawca, to uniesie się on do góry. Im szybciej biegniemy, tym łatwiej wznosi się latawiec, bo większa jest siła oporu. Sprzyja też temu większa siła wiatru (Pamiętaj! Zawsze biegnij z latawcem pod wiatr).

Ważną rolę odgrywa ogon, który zwiększa stabilność i ogranicza kołysanie latawca.

GRUPA WYDAWNICZA
PUBLICAT S.A.

 Papilon – książki dla dzieci: baśnie i bajki, klasyka polskiej poezji, wiersze i opowiadania, powieści, książki edukacyjne, nauka języków obcych

 Publicat – poradniki i książki popularnonaukowe: kulinaria, zdrowie, uroda, dom i ogród, hobby, literatura krajoznawcza, edukacja

 Elipsa – albumy tematyczne: malarstwo, historia, krajobrazy i przyroda, albumy popularnonaukowe

 Wydawnictwo Dolnośląskie – literatura młodzieżowa, kryminał i sensacja, historia, biografie, literatura podróżnicza

 Książnica – literatura kobieca i obyczajowa, beletrystyka historyczna, literatura młodzieżowa, thriller i horror, fantastyka, beletrystyka w wydaniu kieszonkowym

Publicat S.A., 61-003 Poznań, ul. Chlebowa 24, tel. 61 652 92 52, fax 61 652 92 00, e-mail: office@publicat.pl, www.publicat.pl

Oddział we Wrocławiu: Wydawnictwo Dolnośląskie i Książnica, 50-010 Wrocław, ul. Podwale 62, tel. 71 785 90 40, fax 71 785 90 66 e-mail: wydawnictwodolnoslaskie@publicat.pl

TWOJA KSIĘGARNIA INTERNETOWA